奇門廬中闡秘卷四

諸葛武侯 註

詞訟門

詞訟占

符 問官　螣 稿房　陰 責罰　合 吏書
勾 推拘　白 刑杖　朱 文卷　玄 挑工
地 贓物　天 上司

休 訟此一般　生 賄賂囑託　傷 朴責唱散　杜 冤屈難伸
景 文案轉移　死 贓執追呼　驚 定罪虛實　開 辯訴得理
甲生亥死午　乙生午死亥　丙生寅死酉　丁生酉死寅
戊生寅　己生酉　庚生巳　辛生子
壬生申　癸生卯　蓬 陰檢　任 遲滯
冲 怨惡　輔 恩赦　禽 清正　英 唱散
芮 贓吏　柱 朴責　心 唱散

一 節 盜拐私情 申子辰
二 節 田宅爭衡 四維土
三 節 虛詞赫詐 寅午戌
四 氣
五 氣
六 氣
七 刑傷鬬戰 巳酉丑
八 四庫土
九 婚姻財帛 亥卯未

凡占詞訟以時干為我 時干之直符為我中証 時干加門為聽訟之宮時干加地盤儀奇為彼 儀奇同宮之九星為彼干証 要在五處驗其生尅以決勝負 若時干尅地盤儀奇我勝 儀奇尅時干彼勝 時干生儀奇我求他和 時奇生時干他求我和 直符生時干我之中証為我 直符尅時干我之中証不為我 直符生地盤儀奇我之中証為彼 直符尅儀奇我之中証不為

月日事絶　門屬水土巳月日事絶　門屬木申

月日事絶　門屬火亥月日事絶

要在四時衰旺以决之若門臨旺相以月論休囚

以日論伏吟主遲反吟主反覆

占罪輕重

凡占罪之重輕以加八門為主

門生我無罪　尅我有罪

門生彼無罪　尅彼有罪

門尅乘死氣主徒門尅乘囚氣主笞杖門尅乘休

氣主薄罰門尅乘旺氣死罪門尅乘相氣主于流

配

又訣云

若門來尅時干為我尅儀奇為彼若木來尅土主罰

谷監獄土來尅水主罰抵水來尅火主炮烙火來

尅金主徒斬金來尅木主桎梏笞杖

初告青天門訴辯青地戶吉星同天乙生合命及于

符者吉凶星同勾白傷年命及符使與兩干者凶
孟申有驚仲申易散季申有險開值吉星者勝閤值
星凶者敗

又占訣云

日干原告時干被日支干証類納音所藏是問官魁
日傷時忝妙義時日生合訟宜和日時魁制勝負
異兩支貪合証作奸兩支刑傷中証累日支如要
傷時干原証利口多惡意時支又或魁日干訴証
中人硬嘴利本時干支同傷日棠倒如山直可畏
只看納音剋如何若更助仇擬杖罪時日兩家定
高低旺相休囚與死廢旺去制囚可望羸囚来制
旺定貴氣再看納音脫何干就裡賄賂真得計更
將年命納音查合干納音方無慮直符占訟作問
官符官干旺酷與貪符傷日干責原告傷魁時干
被告寃看其誰生誰受尅符家勝負可分端官符
入官申與駁官符入父結案占符空入陷無准的

目下割審未可原朱勝逢魁文案駁陰六来傷朴
責喧勾白制干差役懸前項不法始為歉地属有
司作魁仇時近衙門来可投天係上司若生合狀
從憲制可消愆更查逐日陰陽貴帮扶生日得自
由大約用神無伐制公庭起割遽遲
直使占事之起隙各從五行分斷義金木相交鬪毆
嗔木土相持田宅類水火激搏奸盗情旺真因假
孤謀議吉迪先勝後必輔凶廹理直斷作屈必查

兩干本門情旺勝衰兮不必贅
奇儀子父與財官年月日時細詳干事跡須從六親
論審理時日官爻干親怕刑兮干怕格休咎遲速
所參觀鬼要空兮身要旺爻宜墓兮子當權最宜
忌曜臨身命縱然危險不遭官
九星條分吉與凶吉星生合審順嬴凶星激伐定刑
杖看臨何干斷其刑惟要本干居旺氣不犯凶星
理得明若是孤星又因弱縱然審斷没輸嬴

九宮論訟細究情旺則興訟衰則停退臨後氣事已
住進來前氣正當興水元轉土堪結案木元轉火
訟又生本局還歸本局墓此詞當了莫生情
門戶不刑干訢得利門戶若是門戶不傷干訢告呈
戶不刑干訢得利門戶若是總格刑君莫進公門
去官爻二主若制門再傷年命恐囚繫
占訟孟甲事多憂如逢仲甲了便休季當當府防罪
責開復理令閭生愁只求用甲無刑害官雖怒發

亦相投半開半閤須憚比較合時日兩干求
返首而原告欠利跌　而被告不祥虎狂龍走公庭
有傷得遁賄賂可通假囑托偏宜三勝三吉喜臨
年命得使而衙役効力守門而陰小作殃三門四
戶切忌刑傷時日天馬私門怕直勾朱白玄蛇蹻
妖而笞杖遭磨還宜爭端四起雀投江而文案批
駁宜防圖堵覊縻伏干飛干須分時日斷主客伏
官飛官只怕問官作艱難大格小格下情不能上

達刑格白格公庭驚詫珩楊白入熒旁訟欲亨而
不得熒人白旁事雖險而無妨年月日時逢格悖
經年歷月可消詳五不遇旁訟直而遭曲斷六儀
刑旁類神恐有驚惶入墓羅網不宜占訟反伏門
廹翻案疊詳府使休囚雖訟而無益年命刑魁見
官有傷大約初入官司遇父鬼興隆久遭纏害偏
宜父鬼墓絕官父兩干無尅制管取唱散喜非常

又占口舌官訟訣

此時遇門生宮合吉格或上干生下或下干在得令
之宮而尅上干或宮尅門因非訟而得理有官貴
人扶得財若地盤奇儀臨衰墓宮逢上干尅下干
及門尅宮而合凶格則是非口舌破財憂驚若逢
心開門宮貴人相扶若逢英景生宮有文書之力
若逢生死門生宮田地房產之益如前火門生宮
尅宮之內推之若諸星比和上下相生當和美若
逢死絕而被冲尅因訟破家陷命

他　地盤九星魁時干他之中証為我　九星魁時干他之中証不為我　九星生儀奇他之中証為他　九星生儀奇他之中証不為他　時干魁門我以言語傷官觸怒官家不為我主不勝　時干生門我以言語和好或請託官家為我其時得理主勝　門生時干官為我　門魁時干官不為我主有刑罰　儀奇生門彼以言語和好他有請託官家為他主他勝　儀奇魁門彼以言語傷官觸怒官不為彼主他情虛　門生儀奇官為彼　門魁儀奇官折他主有刑傷　門生直符直符生門官家聽我中証之言主勝　門魁直符直符生門官家難為我之中証主有刑傷　門生儀奇儀奇生門官家聽信中証之言主勝　門魁儀奇儀奇魁門官家難為彼中証之言主有刑罰

占官事絕日

凡占官事了割以絕日為主　若時干加門屬金寅

又占詞訟法

直符為訟者天乙為對者開門為閭官驚門為訟神開驚二門俱尅對者則對者敗尅訟者則訟者敗一尅訟者一尅對者兩俱敗開門生訟者驚門尅訟者或開門尅訟者驚門生訟者俱不利對者生者亦然又直符天乙相為勝休囚為敗若符生天乙則訟者和生直符則對者求息不必以開驚二門定勝敗矣總以落宮决之又景與奇合吉星

在利宮不進則爭訟者有氣不如是不吉若驚傷死與死與凶景星合一宮則凶

官事催提緩急

時干為已身直符為官長六丁為公文直使為公差直符生天乙宮六丁臨于外地其提緩直符尅天乙宮直使臨于内地其提急再有擊刑來意至急三生若相生公差與官長見喜相尅見怒又看六庚為天獄落休廢易結落旺相難結

官事牽連否

本人日干為有事之人庚為天獄辛為天庭壬為天牢本人日干以地盤為主二三凶煞以天盤定之犯一星與日同宮定有牽連再有擊刑定有責罰得天網侄加鎖臨身再有凶格等煞連累甚重若得三奇吉門各等吉格無礙若不犯上庚辛壬癸定不牽連也

占文狀牽連否

頂盤朱雀落宮魁時干落宮者牽連反此不然朱雀旺相魁時干其連必重休囚則輕時干被魁旺相者不妨休囚則重有凶格者凶且甚也

刑杖輕重

本人年命日干宮上星旺門吉並有三奇吉格者官員責降庚人罪輕星不旺相有三奇吉門並諸吉格或無三奇得吉門並諸吉格與星得旺相或無吉門得星旺相臨三奇吉格者俱主罪轉法及已

身有三奇吉格門不吉星不旺相星旺相不得三奇吉門及諸吉格罪主減等或得三奇吉格星不旺門不利者罪重星不旺門不吉格局凶人無三奇吉者本命日干犯擊刑必刑罰之者也

占興訟

丁為朱雀為訟神朱雀落陽干之宮又宮與天獄相冲或乘景門其訟必訟必興若落陰干之宮或投江入墓者不興又臨旺相之宮其訟大起落休囚

者易結

占狀詞

開門為官長景門為文狀開門到宮生景門宮吉景門到宮生開門宮不吉景門宮剋開門宮吉開門宮剋景門宮不吉又景門落宮旺相則吉休囚廢沒不吉旺相生開門吉休囚廢沒剋開門不吉

占罪人開釋

地盤六星為罪人上乘吉星吉門吉格再剋開門落

宮或與落宮相生全者其開放速不備者少遲若
開門落宮尅六壬宮再得休囚者牽壓又天網低
不開難高開釋

占罪人輕重

開門為問官六壬為罪人六甲旬中六壬為天牢必
開門尅六壬宮辛上又有六壬臨之防有牢獄二
者缺一亦不為吉

占囚人出獄

壬為牢獄所加地盤干為罪人又壬字不止甲辰壬
凡六甲旬中六壬時皆是如甲子旬中壬申時為
天牢甲戌旬中午為天牢他倣此必地盤干上尅
六壬所得之支再得開生二門出速不得二門者
出遲以受尅之日為出期必得六丁時或六丁落
宮生囚人之干方看休開生三門

占訟獄

六丙為本主六庚為被治之人六丙落宮尅六庚落

宮六丙又得旺相開門為官長落宮亦尅六庚落宮再得死門凶星死神死氣休囚廢没者其人必置死地

又官訟占訣

以星主為所訟之人以飛門為對訟之人總以得奇得門生旺為吉主星尅飛門我勝人飛門尅主星人勝我主飛而主旺彼必理屈而詞窮飛生主而飛旺我必氣衰而氣餒如星門比合又遇解神空亡等格事可和息如五不遇直符加庚如大庚六辛諸格犯之大凶

如飛門是休門到者或于魚鹽取上起訟景門或于文書火燭上起訟俱可類推

又符宮是我尅使門是我尅先吉後凶符宮是尅我先凶後吉然星門旺相格局最吉者又當别論已上符使無分先後而要不過符宮為尤重也

又符宮下干支是主使門上干支是客以納音配生

尅吉凶了然矣

占捕罪人獲否

開門為官長直使為公人有事之人論年命直使落宮空亡不得加臨本人年命其獲速一內一外其獲遲空亡者不獲加甲子旬空戌亥地盤得甲戌己或六合是也

占官長喜怒

開門為官長時干為己身開門宮尅時干宮被擊刑

諸凶格者責罰有凶格不相尅者無礙若凶得六甲時名為天輔時或六丁時雖有凶格及被尅制亦無妨見尊長亦然推以年干為尊長時干為己身

占公私兩爭歸結

凡人事休纏綿歸結無期事不了者已到官為公事未到官為私事看時干落宮時干在坎卦生子為陽氣生始之地萬物方動事體不能歸結星旺

門順方可成事時干坤卦氣乃土與地相連陽陰交行不能行止不能止時干到震卦生于卯震屬戊開震明動事體發星順門順可成時到巽大往小來始立者生榮已萌者不長新事不止舊事漸消時干到五中央戊巳之位陽坤陰艮復始接連萬物得之而生事不得結時干在乾生于亥陰氣極也純陽初生私事明消公事明發時干到兌卦生于酉肅殺之令萬物老死又兌者悅為口舌為

官府陰謀事體當洩人為天地賞善罰惡之地萬物至此而決歸結時干到艮卦生于寅進艮無常又艮者止也占人進退不離其居占事目前完後必有發時在九離卦生于午陽氣分位陰氣生也剛處其外而能居陰柔在内而不能安分主公事結私事將起占人有不止之義

占和事

庚丙為兩家相構之人甲子為主和之人甲子落宮

用生兩家或同尅兩家則和一生一尅不和又甲
子在旺相之宮庚丙在休囚宮亦和

農桑門

凡占農桑以時干為農人

直使九星為桑

直使加八門為田地

時干生八門主耕種五倍收成

八門生時干主十倍收成

時干尅八門主荒蕪田地無收

八門尅時干無收成田地與他耕種

時干生九星主桑茂盛

時干尅九星主桑衰敗

九星生時干主桑滋長

九星尅時干主桑不成

苻 農人禾稼 螣螟蝗烓嗇陰、籽粒 合 禾苗

句 牛力 白 災疫 朱 穗頭旱荒 玄 根科水澇

地 田基收成堆積 天 場圃栽植

休 水漿灌溉 生 春作耕種傷耨耘 杜 苗梗

景花節　死秧成籽粒驚收割　開柚心旅葉採穗

甲秋斗力人全旱稻　乙苗中木　丙穗蔴花豆　丁穗蔴

戊黍粟綿豆　己稻穀圃田圩埂　庚大麥虫時　辛小麥籽粒冰雹

壬蘋汁晚稻　癸收賣　蓬芒稻粘稻火災　任旱稻旱穀豆蔴

沖中中私稻風暴　輔穀粒福神禽稼穡真辛　英花穗神旱焦

芮秀實神　柱虫瘟枯焦心子將水

一　主申子辰　得令水勢　節中和水勢好

二　四維土　得令田禾好　節

三　主寅午戌　麻　中和好花秀　節失令防旱荒

四　氣無魁有收成

五　氣五谷終享

六　氣得令可收

七　主巳酉丑　主變　失令有魁

八　四庫土　失令有偏枯

九　亥卯未　失令秀花

占種何物

直使加天蓬宜種稻黑豆粟
直使加天英宜種禾紅豆小麥
直使加天冲天輔宜種瓜果五穀
直使加天任天禽天芮宜種芝麻黃豆
直使加天柱天心宜種大麥蕎麦高粱

占蚕絲筐繭

凡占蚕以天英為蚕命

天蓬為絲
天輔為筐
天冲為繭
以上四星若在直符直使加臨之宮或在本宮
則美盛若在他宮而不在本宮者察四星相
生者主多相剋者主少占者詳之
又占訣
栽種花秀青天門耨耘收割青地戶陽開得令必豐

收陰合背時定荒歉
孟甲宜早穀
仲甲豐中禾
季甲宜晚稻
陽開無刑不怕旱
陰合刑魁須慮水
日干農人時干田納音牛力時耕兼時生日兮宜佃
種日魁時兮亦許前反此須防有災變納音化合

考先天課體之中怕金大蟲荒焦旱查類鈐土水
二象宜取用水象泛溢始堪憑函類搜看田種類
參看時令仔細言
直符六合怕刑傷飛伏宮逢生旺強騰朱玄白加臨
處休囚無畏猖狂
直使東作與西成門次參分優劣情得令逢水無刑
格用神旺相個多能
秧苗花粒逐干分四季天時亦繼陳主稟生無刑擊

佐使其兼濟穀如雲
九星五行分穀刑吉星當令有收成用神天星不生
合人力參差齟齬情
九宮起元論所屬旺相生合樹藝熟時遇刑格與孤
虛反局占來換種粟
四季令星登門戶不格不刑穀麥富門和戶凶秋實
虛戶虛門吉春作候
三甲查分播種流何閑何合逐類求三吉三勝來湊

合如茨如雲寄隴頭
大凡佃種以直符之星儀觀其人土種粒以直使之
加臨察其播察收成時日生尅酌分可否納音化
合詳辨收成
反首跌穴皆為吉象若無刑尅與墓空自然十干與
誦能龍走虎狂本作凶推若遇震巽逢鳳雲會散
險後豐收地逢人逢吉無不利三詐五假權變合
宜得使而本類須豐守户而此偏偏利三門四户
出作入息喜恩逢天馬私鳳車水槽怕刑格螣蛇
嬌苗而不秀朱雀投江秀而不實伏干飛干蝗虫
灾異伏宮飛宮耕種粮當大格小格水灾虫變刑
格悖格旱魃殃灾年月日時逢格悖五行消息定
災祥熒入白兮夏穀有損白入熒兮秋禾須防五
不遇兮徒勞心刀六儀擊兮佃種相戕入墓與網
羅或困悽界偏生隱反伏及門迫縱欲佃種總心
芒武侯賦此千金訣留為佃種細推詳

占年歲田禾

此時合生休二門與乙丙丁並六儀臨長生祿旺之鄉兩合吉格其年大熟如合景英心開加于本土之宮或門尅或上干尅下干必然無收如木星尅多虫並鳳災金火二星尅宮多旱災或金鳳所傷水星值壬癸或日時皆水或陰星陰門加于陰宮必多雨連綿水灾如加諸星尅制或生死二門宮者其年本熟如門尅宮或逢庚辛相制雖收必有

賊偷若合凶格與命宮如墓絕或朱雀者同田生非破財官事

占禾稼

天任落艮震主豐再得青龍六合功曹太冲主四民樂業若不落艮震主年儉再以貴神月將分旱潦如天任所落宮有蛇雀巳午太乙天空主旱傳送天后主潦又生門主麥傷主穀看三奇太常土功曹貴人在生門宮得麥在傷門宮得穀

占蠶

三奇吉門吉宿全于金木之宮為吉須要下不剋上宮及門為艮若門星奇吉皆不至金木之宮而更剋正宮星及門為無不利

占蝗蝻

死傷金杜臨日干主來反此不來

占種植

天沖為花草天輔樹木各看落之宮旺相主生休囚主死生者為活剋者死吉格為生凶格為死旺相来生有吉格草木茂盛休囚來剋有凶格草木焦枯吉凶相半者或先活後死或先枯後生又看壬癸戊己四干來生者為活不生者為中死又得三為生氣五為死人又時干入墓五不遇時庚丙格悖俱不吉直伏吟陽星為吉陰星為

奴婢門

凡占奴婢以時干為主人　時干加九星為奴

時干加八門為婢

時干生星生門主有時宜討

星門共生時干主他求我討亦可用

時干尅星門主我不肯討

星門尅時干主強悍無用不宜討

占形狀情形

天蓬為奴主性狡滑貌黑而流動

天英為奴主性急暴惡貌紫而無常

天冲天輔為奴主性適而無私貌清而秀發

天任天禽天芮為奴主寬而溫厚之性貌黃而穩重

天柱天心為奴主性亢剛烈貌白而果決

開門為奴主面白性純而能近貴

休門為婢主面黑性狡而會扶事

生門為婢主面黄性硬而善侍奉

傷門爲婢主面有缺性正直且能制作
杜門爲婢主面微紅性中和且能紡織
景門爲婢主面紫性亢忌主抗主
死門爲婢主面黃性平和善耕營
驚門爲婢主面白性多疑作事驚惶

又買賣奴婢占訣

三奇會六儀加三白門主有貴人即刻成交伏吟反吟諸格門迫宫廹五不遇天網之類俱不成也

襍占門

占博奕

凡占博奕以直符為我　直使為人

直使加九星生直符主我勝

直使加九星尅直符主人勝

直符生九星主我勝

直符生九星勝負相平

直符遇儀奇三白門主我勝

直使下九星遇儀奇三白主人勝

占兵勝負同此斷

又法

六甲空亡為孤　對冲為虛

以本宮方位在孤上坐者主勝在虛上坐者主負

占酒食

凡占酒食以天英為主若天英為直符以下遇九星儀奇斷之若不在直符而臨他宫者亦以此斷

天英遇天冲天輔乙奇主有酒食

天英遇天任天禽天芮戊己主酒食少

天英遇天柱天心庚辛者主以財買酒食

天英遇丙丁者主有貴人盛饌

又法

天英加景門傷門杜門主美盛

天英加休門主無

天英加生門死門主減少

天英加驚門開門主有貴人酒食宜遲

天英乘旺相則多

天英乘休囚則少

占人和門

凡占和門以直使加九星決之

直使加天蓬主兇惡奸私征卒

直使加天英主人邀飲食

直使加天沖天輔主儒工吏椽文墨人

直使加天任天禽天芮主屬貴人相台
直使加天柱天心主僧道女子借索
直使加休門主正北屬貴人
直使加生門主東北方官吏人
直使加傷門主正東方有刑傷人
直使加杜門主東南方貴人
直使加景門主酒食人南方
直使加死門主西南方孝服人

直使加驚門主正西方驚恐女人
直使加開門主西北方貴人

占漁獵

傷門為捕者甲午辛為鷹甲戌己為犬甲寅癸為網生尅論得失旺相論休囚論多寡天盤星尅傷門宮得物傷門宮尅天盤星不得物天盤生傷門宮物走脫傷門宮生天盤星易得上盤有甲戌宜犬見午宜鷹見甲寅宜網地盤再休囚上盤生旺必

獲反此少獲捕魚專用甲寅癸落宮魁傷門宮易
得不然寡得
此時遇傷驚死門合乙丙丁六儀加臨生旺之宮
如地盤逢衰墓宮或上魁下門魁宮遊獵必獲獸
多若天盤諸星或在墓絕宮魁獸雖見而不得若
門魁宮生門支干比合有所得若下魁上宮魁
門加死絕之宮必被獸所傷切不可出獵若所得
之獸被主魁者如所魁寅爲虎亥猪戌犬丑牛未

羊午馬獐鹿酉雞之類

占飲食

此時天上奇儀門生合地下星宮或比和而得旺氣
飲食極豐諸星門若魁宮主飲食不豐逢衰氣必
見而不得地盤星儀魁天盤亦無若水星休門生
宮有飲食酒餚如土星生宮有飯食或餅果如金
星門生宮有飲食重重如火星生宮飲食如常若
遇水星生宮應魚蟹海味水中物羹湯味美火星

土宮主帶殼硬物若煎炒雞雉烘醃餅酥饅尖物木星主宮有新味佳味時果腥酸美味金星生宮多骨之味豕犬鵞鴨雞肺蹄之類土星生宮必有野獸或虎羊牛山藥土物味甘肚子如火星乘旺氣主鹿獐野獸之物大抵旺氣主飲食多衰逢剋食主艱難若逢凶格門迫因其迫格之宮以斷是非之事主若逢旺口舌自散主若衰墓憂驚非常

占囑托

天乙宮為求託之人直符為所求之人直使為轉托之人。直符剋直使不利，生直使利。直使剋直符宮，彼必不悅。生直符雖依其言不甚快利。直使生天乙剋直符不成直使直符剋天乙不利。直符直使俱生天乙或俱為天乙所剋，其事方濟。有一不生亦不能濟。各以其所落宮分定之

占間諜

直使為主者丙為自己庚為仇人以月將加本時丙

為直事所得及相冲則動不冲則不動冲動則看庚與直使乘星則旺使因無益庚乘星魁直使之星無益相生無益若直使乘星魁庚乘星者間諜得行

占行詐

六丙為己六庚為敵朱雀為誑落地旺六丙落宮魁六庚落宮或六庚落宮生六丙落宮其術得行如被六丙魁庚在旺相之鄉或庚宮生六丙宮不在囚廢沒之所主半信半疑而被庚魁或生六庚不旺相者其術不行如常人爭訟私鬬亦欲行詐日為自己年為長輩月為同類時為晚輩其占法同

占請人來否

請人方向地盤干魁天盤干地盤星干又轉內界或所往方得開門則來如下不魁上及上魁下地盤星在本方宮及不得開門主不來所請方不落空亡得日干格者來若陰遁八局小雪中元天柱為

直符加六宮直使驚門在一宮請人東南方來而地盤四宮得生門天冲頂盤白虎遇擊刑之格乃主所請之人到門而不入也

占誰去不去

同為一事兩人為之或兩人各為一事看兩人年干原宮上得何干乘之如乘陽干者去乘陰干者不去俱乘陽干者俱去俱乘陰干者俱不去又乘旺相之星者其去速乘休囚之星者其去慢

占約期

年為尊長月為同類時為後輩日為自己在直符前者先至直符後者後至所落宮相生比合至相尅不至俱前後亦然伏吟陽星不至五十不遇及格悖皆格

占領文遲速

六丁與直使宮相生則速相尅則遲又六丁在何宮相生即以本宮相生支干定其日期

占約假

直符為尊長天乙為卑小直符宮尅天乙落天乙宮落宮生直符落宮俱不准假若直符宮生天乙宮尅直符宮准假兩宮相比若不准

占應役

開門為貴客直使為己身開門宮生直使宮直使宮上人得三奇及旺相星宿大吉與貴客相尅再有凶星休囚亦不及

占起解

錢粮以開生二門為主上不可見天蓬及凶星等煞再來尅直使者不利罪人以天辛為主須得休囚不可尅直使直使須旺相六辛宮若六辛生值直使者平安直使生六辛宮防有欺蔽不相尅制無事六辛帶六合玄武宜防逃失不犯惡星凶格終始無慮

占解罪人

本人本命上來六辛落宮又得陽干再受開門落宮剋制其鮮無疑反此不然至于課不脩者尚有更轉

占有人謀害

庚為仇人申為巳身庚金剋宮尅甲木落宮有謀害甲木落宮剋庚金落宮受擊刑有害旺相雖擊刑不為害庚金上下二盤星宿皆來尅庚及甲申庚作直符俱不能害

占遇難逃避方囬

凡有遇難逃避者不知何處可去當看杜門六丁六癸六己戊六合同宮天上天冲及本身所臨之方又生本時時干此數者合一件即吉再有吉星三奇天利反此不吉

占避難可否

避兵看六庚避賊看天蓬避官訟者六辛時干為巳身六庚尅時干不加内地不必避加内地不尅時

干不必避魁時干不加時干不避加時干不魁時干不必避魁時干臨内地加時干俱爲當避也天蓬六辛同此避仇人先動者爲客爲陽六丙主之後動者爲主爲陰六庚主之客占以六庚落宮魁六丙落宮又臨内地當被或魁不臨内地或臨内地不魁俱不必避若六庚乘休囚之宿加丙不必避乘旺相之宿加丙當避主占者看六丙亦然丙下臨六庚凡事將退亦不必避

占求師傳道

所往之方上得天芮可遇明師來生時干傳道無疑乘魁時干必不投合時干魁生天芮亦無用天芮方上有三奇吉門及諸格者方爲明師不然亦非明師

占設教

天輔爲師長直符爲主者天芮爲弟直符生天符宮天輔宮再得三奇吉門及諸吉格者成其餘俱不

能成又丙芮在旺相之宮子弟在休囚之宮弟子
少有所往之方得三奇吉門及諸吉格者利無吉
格者不利

占燒丹

凡煉天丹及一切爐火之事坎為直鉛休門主之震
為直汞傷門主之離為沙金景門主之兑為金驚
門主之其餘乾金艮土巽木坤土俱為雜氣又月
將加正時子為鉛午為砂卯為汞酉為金其寅申

巳亥俱為雜氣貴人六合為汞朱雀為砂太陰為
金玄武為鉛其餘天后白虎螣蛇青龍俱為雜氣
又蓬為鉛沖為汞英為砂柱為金其餘心任輔芮
俱為雜氣凡此為會中五中五宮地盤得丙丁火
天盤得壬癸水可成又得直鉛汞金砂者可成内
有雜氣者不成

占求仙

地盤本身日干為主上得心芮二星生門並不六儀

三奇俱生日干占時又得六癸者可求若無心芮二星是無明師有心芮二星不得生門并六儀三奇來生本身日干者不成

占禱祀

凡祈禱雨澤祭祀禳福一切書符作法造進表詞之類當看天芮所在得風雲鬼龍神五道方得驗反此不驗

占鴉鳴

凡過鴉鳴急視景門在直符前一切追來臨前二口舌前三婚姻不然爭訟鬧講門庭四鬪毆財利相爭直符後一事涉女人後二欺蔽淫慾奸萌後三亡失衣物犧牲更尋六丙下直何人河神貴人有災六畜有傷從魁在下寡婦傳音上逢吉將酒食邀迎傳送在下人來覔物小吉在下婦人喜成勝光在下徵名歡欣太乙在下大吏相尋天罡在下爭鬪訟死太冲在下酒食邀迎功曹在下慶賀太

吉天吉在下親親得朋神后在下事必奸淫叅明在下吏察公文又須聽聲過何方遇吉門則吉凶門則凶

占鵲噪

看來所臨下得何奇何門以决其事開門得奇主有親朋至或行人遠回或主酒食休門得奇主有喜事喜信及婚姻之事生門得奇主得田宅財物頭畜之事不得三奇三門及門廹奇墓俱主無所聞

係吏看景門所臨吉格則有喜信凶格則有憂惱信或小煩惱

占怪異

怪異如狗嘷斧鳴火笑水哭牝雞晨鳴之類以時干所加下得三奇吉門星格者平安無奇無門凶星凶格者有異若吉多凶少禍亦無妨吉少凶多終有礙內為前半年外為後半年以八宮定日期

占夢

看地盤夢時時干上門星俱凶得三奇吉格或無三奇吉格門星俱吉者其夢無吉無凶得星門又得三奇吉格夢吉即吉夢凶亦吉不得星門及三奇吉格者夢凶凶應夢凶亦凶若時得六甲旬中空亡即屬幻景無所関係

占動四體吉凶

眼屬肝為木為震耳屬腎為水為坎唇屬土為坤左臂屬巽右臂屬坤左足屬艮右足屬乾左脇屬震

右脇屬兌背腸屬中五若有跟動以本坊上得何奇門星格決之得奇者吉不得奇門者平平有凶格者不吉

兵占

符　三軍司命　螣　士卒旗鼓　陰　陰謀埋伏私道

合　和士謀臣替助　勾　戰鬥要截　朱　間探軍謠

白　驍將　玄　賊寇

地　屯精藏伏　天　軍門戰場

休　養士納降　生　整營壘安糧儲　傷　行賞罰捕逃亡

杜　伏險夜遁堅壁　景　探聽投書破軍　死　行刑誅戮

驚　檢敵　開　開辟迎敵取勝遣使

甲　總戎　乙　副將　丙　先鋒

丁　說客　戊　大隊　己　輜重

庚　勁敵　辛　遊擊　壬　奇兵

癸　天塹

蓬　猛將　任　校將　冲　戰將

輔儒將

翕義將

英充將

萬禎將

柱雄將

心大將

陰六地天喜臨勾白朱玄忌照天馬更坐天馬出行入乘飛騰孟甲合陽星陽氣在內星陰氣在外利于固守仲甲合陽星陽氣于後應合陰星者其利在門惟利于固守季甲合陽星陽氣在外利客合陰星陰氣在內利主

天將臨戎制敵馭兵察天道之向背福善而福淫考地理之維通踞險而守要仰觀星漢之妖祥逐度以考分野俯兵卒之強弱嚴紀以正律刑知彼預

彼預謀待敵知予已密計練兵切莫恃強而輕敵尤忌畏敵而亂中治計用間因地乘時運籌帷幄決勝千里將之義大矣哉所貴予執事者熟諳于韜畧識格于士兵孤虛旺相指掌而定符使門儀揮麈而分用三奇以輔六甲須辨奇隸地天害門戶以定進退必辨甲值開闔九星分主客逐時合以決雄雌元局別正奇詳挨應以定前後忽閒可執究方位之來蹤與時日之格刑則情虛實可知

乍見軍驚番門户之向背與符使之得從則兵勢
搖惑可定符前伏刑傷蘊測險而抽兵駐劄符後
遁格戰當擇吉而揮戈起行移三補五毋邀堂堂
之戰陣避五趨三勿擊正正之旗章光截路再值
網羅早收兵得奇得門更逢鳥龍宜進發而知雨
暘熟玩測天之賦將與兵革先觀太白之經風角
鳥占情偽可辨占雲測日勝負先知大凡督師制
敵必用甲用丁帷幄君子請事於斯

日干我軍時干敵日制時兮戰必尅時干若來克日
干號令三軍宜堅壁日干若受時干生來將私意
懷歸伏惟爍壬癸作生神須防詐降終無益時干
若是脫日干對壘之間閃爍的客主從來分日時
先起之兵即作客日支時干偏將論生尅休咎如
干陳兩家納音宜檢究先後勝負剋因辨出五
行旺生休囚刑格君莫向此是規模先鋒門歷
伐司命無二項擇日擇時吉出師天罡六壬通玄

妙煞貢人傳與天安明堂天德金櫃較更詳吉月
日奇門選助利方發號炮
直符占驗大將軍本宮得吉立大勛三宮點檢無凶
碍左右冲戰總遂心再將年命来參取不值刑空
無禍侵天地騰陰内朱六何者為仇何者親六神
得地與失地其中吉凶細消陳九地失利防偷劫
九天害格莫交兵各將類神究微妙分晰趋避號
三軍最要直符不與直符害更要方位兼與直符

生
直使占戰天樞机八門用事各有宜本使得令堪進
發他門有吉分正奇詳推主副年與命臨吉門中
是勝基倘值網羅與反伏太公陰符必用之
奇儀各有所分屬最忌同墓與刑格制甲之神喜休
因輔甲之神怕孤格甲所用神如伏仇本營奸宄
須推測查看本局孤與虛係何奇儀落其局分局
既值孤虛宮畢竟吉凶未准的天用落空與值刑

切忌臨此有損失
九星五行分顛畢所舉之星同時舉吉星當符更乘
時先踞旺方必勝彼休囚失地忌興師悖格飛伏
皆難許最喜吉宿得奇門天上風雷來助武上下
左右魁與魓罡履斗丁甲使疑神設鬼助軍威決
大勝千里真無比
九元起例考天時地道三方亦証推水火金木石各
别主將年命莫擊違正局考營堪立寨過局輜重

可屯積將來局位伏候剩奇正分兵奏捷回
門戶忌乘墓格刑欲逢遁設詐使乘如若加臨孤虛
地出軍不利好逃兵私門私户雖然到上逢羅網
亦不妙若得天乙登天門煞没神藏任取道
三甲詳分開闔情開宜興師闔掩兵孟甲反伏不宜
動仲甲反伏猶豫情季甲反伏皆宜動中寓孟甲
顯玄宗更有三甲互加換遲中變速動中寓孟甲
加仲宜打探加季之時宜進征仲甲加孟姑留止

加季之宮决起營季甲加孟權劄駐如仲之時防伏兵陽時喜逢上魁下陰時魁上亦稱情

返首之格一戰成功跌穴之際伏兵取勝天遁大開旗鼓所往必克地遁安置營壘埋伏正奇人遁刹子遣探神遁便于陰謀鬼遁偷弩可行龍遁祈禱天利鬼遁招討威振鬼方風雲二遁抽避為良三三詐争戰必勝五假變陣成功三奇得使偏副効力玉女守門陰使可行三勝之功不戰皆捷天輔

之時有罪可原天三門宜張招撫之旗地四戶用置埋伏之卒地私門潜藏之路天馬方避難之鄉門吉星吉符吉戰勝攻克守寧龍逃走須防敗北虎猖狂且勿圖南蛇跃蹻畢謀有變雀投江羽檄疑況伏干須防暴出之師飛干慎陧敵人之計伏宮勁敵横暴飛宮先鋒失機大格恐遭勁旅小格疑有伏兵刑格戰鬪不利悖格詐起畢驚歲格營有變月格偏將有傷時格不宜搦戰不遇切莫進

熒入白兮詐退而必返白入熒兮竊恐而勿追天羅地網出師宜防抗陷伏吟反吟練兵切莫交兵三奇入墓與受制副將援師不協情六儀擊刑戰雖利而有損門宮值置營壘固整而防冲門凶星凶符凶堅壁犒師申令其間有徵吉而得凶徵凶而得吉者非奇儀之悞人也蓋生將之年命不濟與國運之盛衰否耳

占賊来否

此時天上奇儀星門魁宮賊来猖狂如地盤坐有旺祿得令之宮賊雖来我以計勝若我居失令逢其相魁謹防所失如我魁他賊雖見而無害若上下諸星比和干方相生主不進不退恐賊再来宜埋伏待之

又法

以月將加正時看天罡所在孟仲季則知其来否

小賊盜占

此時遇下干魁上干宮魁門地盤在生旺宮縱有小人盜賊不敢來犯若上庚干日魁時干門魁宮而合凶格主星臨于失臨宮小人盜賊謹慎或被大害不宜上下支干比和相生俱為不吉宜相冲戕魁賊不敢來犯

奇門廬中闡秘卷之下終